Miguel Ángel Spezzia

Dibujos de Víctor Ávila Chombo

EL NEGOCIO QUE ESTÁ HACIENDO MÁS MILLONARIOS EN EL MUNDO

ExiEditores, S.A. de C.V.

Editor: José Luis Trueba Lara

Primera edición: noviembre de 1994
Primera reimpresión: diciembre de 1994
Segunda reimpresión: enero de 1995
Tercera reimpresión: enero de 1995
Cuarta reimpresión: enero de 1995
Quinta reimpresión: enero de 1995
Sexta reimpresión: febrero de 1995
Séptima reimpresión: abril de 1995
Octava reimpresión: junio de 1995
Novena reimpresión: agosto de 1995
Copyright © 1994 por ExiEditores, S.A. de C.V.
Av. Chapultepec 494, Col. Roma, México, D.F. 06140.
Impreso en México — Printed in Mexico

Índice

EL NEGOCIO QUE ESTÁ HACIENDO MÁS MILLONARIOS EN EL MUNDO

Primera parte

De la vida y pesares de Juan
antes de conocer el Sistema

Primera parte

De la vida y pesares de Juan
aldea de conocer el Sistema

LA REALIDAD,
ES QUE SOLO
UNA MINIMA
PARTE LO LOGRA...

MULTIMILLONARIO

MILLONARIO

CLASE ALTA

MEDIA

BAJA

MISERIA

EN ESTE LIBRO, HABLAREMOS
DEL VERDADERAMENTE RICO,
O SEA, DEL

MULTI
MULTI
MULTI
MULTIMILLONARIO

ESTA ES LA
HISTORIA DE
JHONNY A. PENAS...

ESE SOY YO

...UNA HISTORIA
QUE BIEN PODRIA
SER LA TUYA...

13

¡HASTA QUE LLEGO EL TAN ESPERADO DIA!

¡JUANITO YA ES LICENCIADO!

CON SU TITULO BAJO EL BRAZO,
EL LICENCIADO JUAN A. PENAS
(JHONNY, PARA LOS CUATES)
SALIO A BUSCAR
TRABAJO...

EL RESULTADO

DESPUES DE MUCHO BUSCAR
Y PUERTAS TOCAR...

¿NEGOCIO PROPIO?

POR FIN...
CONSIGUIO
UN PUESTO
DE AYUDANTE
DE AUXILIAR.
DEL SECRETARIO
DEL SUBGERENTE
DE LA SUCURSAL...

TOTAL, LO IMPORTANTE
ES ESTAR DENTRO...
LO DEMAS CORRE
POR MI CUENTA.

POCOS FIERROS, S.A.

USTED ESTÁ AQUÍ

JHONNY A. PENAS SE CASO, RENTO UN DEPARTAMENTO, ADQUIRIO UN AUTO USADO, TUVO CUATRO HIJOS (UNO CADA AÑO), UN PERRO Y UN CANARIO...

¿ESTO ES TODO?

NO ME ALCANZA PARA MAS...

(EL PERRO OPTO POR ALMORZARSE AL CANARIO)

¿CUAL SERA LA FALLA?

**JHONNY A. PENAS NO TENIA NI UNA VAGA
IDEA DE SU ERROR...**

¿AMO?

¡NO!

BUENO, SI... SI, SI,

¡YO QUIERO SABER
POR QUE... NO PUEDO
SALIR DE POBRE!

¡NADA MAS
SIMPLE!

TAN SOLO
SE DEBE A
QUE TUS INGRESOS
SON

**¡INGRESOS
LINEALES!**

26

PERO... ESO
NO ME AFECTA.

YO NUNCA FALTO,
SOY MUY CUMPLIDO.

SIEMPRE RECIBO
MI DINERO...

...Y ES ENTONCES
CUANDO LLEGAN LOS

COBRADORES...

¡QUEDAS IGUAL QUE ANTES!

(O PEOR)

28

TRABAJADOR
(HIJO)

QUE DEPENDE DE

PATRON
(PADRE)

NO HAY METAS COMUNES.

EL TRABAJADOR TRABAJA 8 HORAS HACIENDO LO MENOS POSIBLE, PARA CONSERVAR SU EMPLEO.

EL PATRON EXIGE LO MAS POSIBLE, PAGANDO LO MENOS POSIBLE.

NADA HAY DE MALO EN SER TRABAJADOR, PERO AL ACTUAR DE ESE MODO, ASPIRAS SOLO A TRABAJAR **PARA OTROS.**

RECUERDA QUE
TENGO FAMILIA Y
NECESITO GANARME
EL SUSTENTO.
¡TRABAJO POR
UN SALARIO!
HAY MUCHOS GASTOS
Y LA VIDA
ESTA MUY CARA.

LO SE, PERO OBSERVA
QUE, AL TENER UN

SALARIO FIJO,

ACEPTAS QUE,
INDIRECTAMENTE,
UNA TERCERA PERSONA
(PATRON) DECIDA
TU ESTILO DE VIDA...

PATRON

**TU PATRON DECIDE
TU SUELDO
Y POR TANTO:**

- TU ROPA

- TU CASA

- TU NO COCHE

- TUS VACACIONES

- LA ESCUELA
  DE TUS HIJOS

**¡Y HASTA
LO QUE COMES!**

COMO EMPLEADO , ESTAS EXPUESTO A...
LOS IMPREVISTOS Y LAS DECISIONES DE TU JEFE
Y TE AFECTAN DE TAL MODO QUE PIERDES LO QUE TIENES...

SI TE ACCIDENTAS...

...COBRAS
TU SEGURO...

(QUE NO SIEMPRE ES SUFICIENTE PARA VIVIR)

SI TE DESPIDEN...

...TUS INGRESOS SON IGUAL A CERO.

LA CONCLUSION ES MUY SIMPLE...

NUNCA
SERAS RICO
TRABAJANDO
PARA OTROS.

¡NUNCA LO HABIA VISTO DE ESE MODO!

2 DE CADA **100** EMPLEADOS
LOGRAN ACUMULAR RIQUEZA.
¿SERAS TU UNO DE ELLOS?

ENTIENDO PERFECTAMENTE TU PUNTO DE VISTA,
Y LO QUE TE QUIERO DECIR ES QUE

TU TIENES LA CAPACIDAD
DE ESCOGER TU ESTILO DE VIDA.
LA CUESTION DE QUE HACER CON TU VIDA,
TUS INGRESOS, TU TIEMPO Y TU PERSONA,
ES DECISION EXCLUSIVAMENTE
TUYA.

¿ESTILO DE VIDA?

MANEJAR EL COCHE QUE MAS TE GUSTE.

ESCOGER LA ESCUELA DE TUS HIJOS.

TENER ESTILO DE VIDA ES...

VESTIR LA ROPA QUE MAS TE GUSTE.

COMER EN EL RESTAURANTE QUE MAS TE GUSTE.

TENER DINERO EXCEDENTE.

ELEGIR LA CASA Y BARRIO DONDE VIVES.

HACER EL VIAJE QUE SIEMPRE DESEASTE.

¿Y TENER MUCHACHONAS, SER INFLUYENTE Y QUE TODOS TE ENVIDIEN?

¡oooPS!
NO, NO EXACTAMENTE...

TENER UN ESTILO PROPIO
DE VIDA ES:

TENER TIEMPO

**PARA DISFRUTAR
DE LA VIDA.**

TENER SALUD

**PARA DISFRUTAR
DE LA VIDA.**

TENER DINERO

**PARA DISFRUTAR
DE LA VIDA.**

40

ESTILO DE VIDA ES QUE

TU

(Y NO OTROS: EL PATRON, EL MEDICO, EL BANCO, ETC...)

DIRIJAS TU
PROPIA VIDA

LA REALIDAD ECONOMICA MUCHAS VECES APLASTO NUESTROS SUEÑOS, OBLIGANDONOS A AJUSTARLOS A NUESTROS INGRESOS.

EN TAL SITUACION, TE QUEDAN DOS OPCIONES:

DESINFLAS TUS SUEÑOS

O AUMENTAS TUS INGRESOS

EL QUE DESINFLA SUS SUEÑOS,
TERMINA SIENDO

CONFORMISTA...

EL QUE AUMENTA SUS INGRESOS,
SE MOTIVA A SEGUIR SOÑANDO.

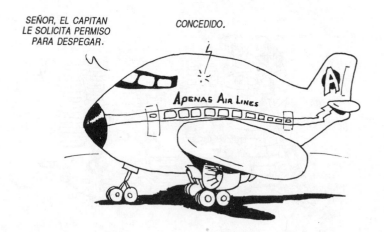

PERO ¿COMO LE HAGO?
¡TU MISMO DIJISTE
QUE CON MIS INGRESOS
LINEALES SOLO ME ALCANZA
PARA SOBREVIVIR!

SOLUCION:
LOS INGRESOS
RESIDUALES

RESI... ¿QUE?

¡INGRESOS RESIDUALES!

*LOS RECIBE LA GENTE QUE LOGRA
HACER UNA GRAN FORTUNA...
¡Y NO SIGNIFICA TRABAJAR MAS QUE TU!*

AHORA TRABAJO
MENOS QUE ANTES.

POR EJEMPLO, ELVIS PRESLEY SIGUE
COBRANDO MILLONES DE DOLARES...
¡DESPUES DE VARIOS AÑOS DE
"DESCANSAR EN PAZ"!

PERO ELVIS SIGUE SIENDO

ELVIS

HASTA EN LA TUMBA.

¿Y ESO QUE?
EL SECRETO DE LOS
INGRESOS RESIDUALES
ES EL MISMO PARA EL,
QUE PARA TI:

HACER UN TRABAJO
UNA
SOLA VEZ,
Y QUE SEA POSIBLE
COBRARLO
CADA VEZ
QUE SE VUELVA A USAR.

PERO ¡YO YA SOY LICENCIADO!
¡Y CASADO Y CON NIÑOS!
¡TENGO UN PERRO Y
HASTA HACE POCO
TAMBIEN UN CANARIO!

¡A ESTAS ALTURAS
NO PUEDO PONERME A VER
SI LA HAGO COMO COMPOSITOR,
INVENTOR O ROCKERO!

¡Y DALE CON TU
NO PUEDO!

**TU NO NECESITAS UNA
EDUCACION ESPECIAL, O
ABANDONAR LA SEGURIDAD
DE TU ACTUAL TRABAJO
PARA PARTICIPAR DE
LOS INGRESOS RESIDUALES.**

ESTOY MAS CONFUNDIDO QUE ANTES.

TE LO EXPLICARE ASI:

DESDE SUS ORIGENES, EL HOMBRE HA TENIDO LA NECESIDAD DE ADQUIRIR O CAMBIAR COSAS.

LLAMALO TRUEQUE, COMPRA, VENTA, O COMO QUIERAS. LA CUESTION, ES QUE SE REQUIERE DE UN SISTEMA DE

MERCADO.

ASI COMO EL HOMBRE HA CAMBIADO
A LO LARGO DE SU HISTORIA,
TAMBIEN SU SISTEMA DE MERCADO
SE HA TRANSFORMADO
CON EL PASO DEL TIEMPO.

TRUEQUE

MERCADER

COMERCIALIZACION

*ACTUALMENTE, COMPRAMOS
POR CATALOGO, CORREO
TELEVISION O TELEFONO
¡YA NISIQUIERA SALES DE CASA
PARA ADQUIRIR PRODUCTOS!*

**PERO EN CUANTO A COSTOS
Y BENEFICIOS, NINGUN SISTEMA
COMPITE CONTRA EL**

MULTI NIVEL.

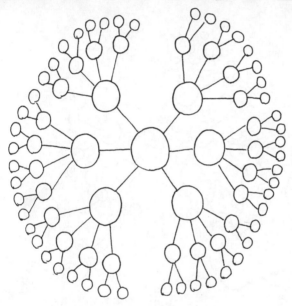

EL MULTINIVEL
ES UN NEGOCIO DE
INGRESOS RESIDUALES.

TRABAJAS UNA SOLA VEZ Y TU TRABAJO SE DUPLICA,
TRIPLICA, CUADRUPLICA, ETC. Y TUS GANANCIAS ¡TAMBIEN!

COMERCIALIZACION POR REDES

NETWORK MARKETING, NETWORKING O MERCADEO POR REDES

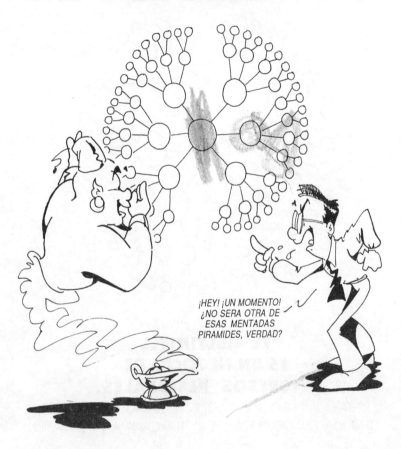

¡HEY! ¡UN MOMENTO! ¿NO SERA OTRA DE ESAS MENTADAS PIRAMIDES, VERDAD?

Segunda parte

De cómo funciona el multinivel
y qué puede Juan esperar de él

ESTE ES EL MODO COMO FUNCIONA

LA FABRICA
PRODUCE UNA
MERCANCIA DETERMINADA
PARA TU CONSUMO...

DISTRIBUIDORES
...QUE PASA
POR VARIAS MANOS
ANTES DE LLEGAR A TI.

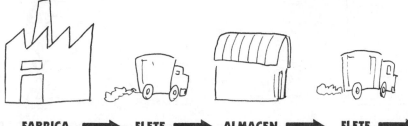

FABRICA ➡ FLETE ➡ ALMACEN ➡ FLETE ➡

**LOGICAMENTE,
EN ESTE SISTEMA
GANAN SOLO
UNOS POCOS...**

EL SISTEMA TRADICIONAL DE MERCADO

CADA UNO DE ELLOS,
COBRA UN PORCENTAJE
QUE **ELEVA** EL PRECIO
DEL PRODUCTO.

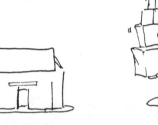

MAYORISTA ➡ FLETE ➡ MENUDEO ➡ CONSUMIDOR

¿TODO ESO PAGO **YO?**

¿QUE PASARIA SI TU CONSUMO FUERA DIRECTO DE LA FABRICA?

ESTE ES
EL CAMINO
MAS CORTO...

FABRICA

FLETE

ALMACEN

FLETE

DIRECTO DE FABRICA AL

¡ELIMINAMOS INTERMEDIARIOS!

**ESTA ES LA BASE DE
LA COMERCIALIZACION
POR REDES**

PARA HACER LA COMERCIALIZACION DIRECTA, LA
EMPRESA ESTABLECE PUNTOS DE VENTA EN
LUGARES ESTRATEGICOS...

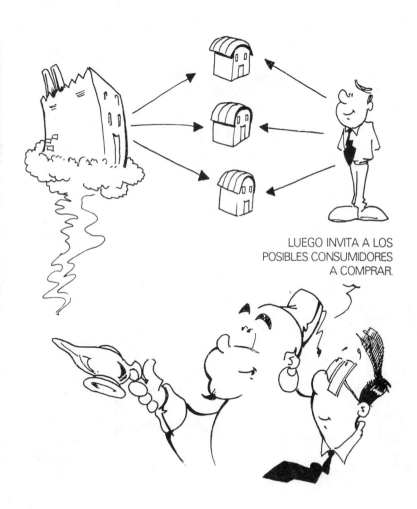

LUEGO INVITA A LOS
POSIBLES CONSUMIDORES
A COMPRAR.

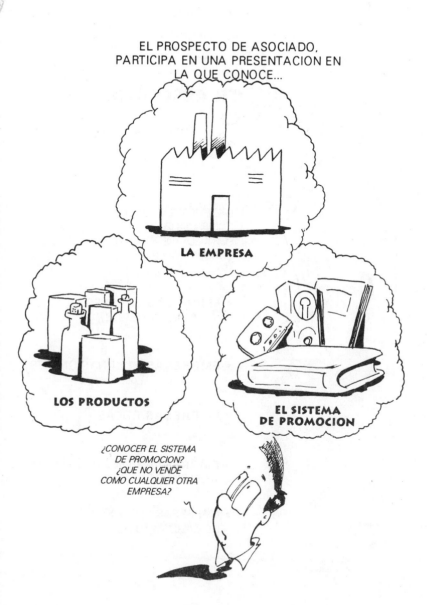

¡EN ABSOLUTO!

LAS EMPRESAS QUE OPTAN POR
COMERCIALIZAR SUS PRODUCTOS
POR MEDIO DE REDES DE
CONSUMIDORES SON:

- **EMPRESAS** JOVENES
  (40 AÑOS O MENOS)

- **EMPRESAS** MULTINACIONALES

- **EMPRESAS** ETICAS

- **EMPRESAS** CON UN CRECIMIENTO
  ACELERADO

- **EMPRESAS** CON SISTEMAS
  DE CALIDAD TOTAL

Y POR ESTA MISMA RAZON, SUS PRODUCTOS SON:

- DE PRIMERA CALIDAD

- DE USO DIARIO O FRECUENTE

- Y SE DISTRIBUYEN SOLO EN LAS BODEGAS DE LA EMPRESA

Y...¿QUE ES LO QUE VENDEN?

LAS EMPRESAS MULTINIVEL
MANEJAN PRODUCTOS Y SERVICIOS QUE CUBREN
DIVERSAS NECEIDADES, TALES COMO:

¡NO!

LO QUE ENTIENDO
ES QUE SON EMPRESAS
EN LAS QUE UN VENDEDOR
LLEGA A TOCAR A TU PUERTA
PARA VENDERTE PERFUMES,
ENVASES Y ESAS COSAS...

TE PARECERA SORPRENDENTE,
PERO ALGUNOS DE LOS PRODUCTOS
QUE SE COMERCIALIZAN
A TRAVES DEL MULTINIVEL
SON MAQUINARIA, COMPUTADORAS
¡Y HASTA AUTOMOVILES!...
¡Y NO SON VENTAS DE PUERTA EN PUERTA!

PERO LOGICAMENTE, PARA LA EMPRESA
MULTINIVEL, ES MAS FACIL (Y REDITUABLE)
PONER A LA VENTA

UN PRODUCTO DE CONSUMO RAPIDO ✦

*SI VENDIERAN TRAJES
DE ASTRONAUTA
¿CREES QUE TODO EL
MUNDO COMPRARIA
UNO?*

NO, CLARO.

CUANDO TE UNES A UN MULTINIVEL,
FORMAS UNA "SOCIEDAD" CON LA
EMPRESA. NO ERES SIMPLEMENTE UN
COMPRADOR O UN CLIENTE.
TE CONVIERTES EN

"ASOCIADO"

¿POR QUE SOY SOCIO
Y NO CLIENTE?
POR QUE SI FUERAS CLIENTE
TODO SE LIMITARIA
A QUE TU CONSUMIERAS
LOS PRODUCTOS DE LA EMPRESA.
¿COMO GANARIAS,
A FIN DE CUENTAS?

LANZAR OFERTAS ES UNA TECNICA
MUY USADA POR LAS BODEGAS DE
SUPERMERCADOS Y LOS CLUBES DE PRECIOS...

...PERO EL RESULTADO SIGUE
SIENDO EL MISMO:

**EL BAJO PRECIO TE PERMITE COMPRAR MAS,
PERO DE TODOS MODOS...**
¡GASTAS!

PUES CLARO, VAS A PAGAR
POR LO QUE CONSUMAS...

**LA DIFERENCIA
ES QUE MIENTRAS
MAS CONSUMAS, MAS TE
REEMBOLSAN**

SI COMPRO,
ES OBVIO QUE VOY A GASTAR.
¿A POCO EN MULTINIVEL NO
VOY A PAGAR UN CENTAVO?

¡GRACIAS POR
SU COMPRA!

**¿ NOMBRA UNA TIENDA "TRADICIONAL" QUE
POR COMPRAR TE HAGA DESCUENTOS Y
ADEMAS TE DEVUELVA DINERO ?**

Y ASI...
INICIAS TU
PROPIA RED...

TU PROPIO NEGOCIO
CRECERA INVITANDO
E INSCRIBIENDO
A PARIENTES,
VECINOS, AMIGOS
Y COMPAÑEROS
PARA QUE COMPREN
ESOS PRODUCTOS.

1° CONSUMES.

2° INVITAS A
CONSUMIR.

TU ERES SOCIO PORQUE PROMUEVES TU PROPIA EMPRESA, CRECEN JUNTOS, COMERCIAN JUNTOS Y GANAN JUNTOS...

¿COMO ES ESO?

IMAGINA QUE
VAS A INSTALAR
TU PROPIO NEGOCIO,
Y DESEAS SER
CONCESIONARIO
DE UNA MARCA
RECONOCIDA...

PODRIAS
SER EMBOTELLADOR...

PODRIAS
SER RESTAURANTERO...

PODRIAS
INTEGRARTE A UNA RED...

PERO NECESITAS
UN LOCAL, MAQUINARIA,
MUCHO DINERO,
TIEMPO Y TRABAJO.

PERO NECESITAS
UN LOCAL, MAQUINARIA,
MUCHO DINERO,
TIEMPO Y TRABAJO

¡Y SOLO NECESITAS
UN POQUITO DE DINERO,
TIEMPO Y TRABAJO!

CONVERTIRTE EN ASOCIADO DE
UNA EMPRESA MULTINIVEL
EQUIVALE A CREAR TU NEGOCIO PROPIO,
EN DONDE NO HAY UN "JEFE".

TU ERES TU PROPIO LIDER,
TU PROPIO PUBLICISTA Y
TU PROPIA FUERZA DE VENTAS.

EL VENDEDOR
SE LA PASA
TOCANDO DE
PUERTA EN
PUERTA,
VENDIENDO
PEQUEÑAS
CANTIDADES
DE UN
PRODUCTO.

¡VUELVA
MAÑANA!

EL EMPRESARIO **INVITA**
A OTROS A PARTICIPAR EN
SU NEGOCIO,
Y ESTOS INVITADOS
**CONSUMEN
REGULARMENTE**
UNA CIERTA CANTIDAD
DEL PRODUCTO PARA
SATISFACER
SUS NECESIDADES.

LA "VENTA",
POR LO TANTO,
ES SEGURA.

GRACIAS
JOHNNY.

EL MERCADEO POR REDES RECIBE ESE
NOMBRE, POR QUE SE BASA EN UN ESQUEMA
EN FORMA DE RED

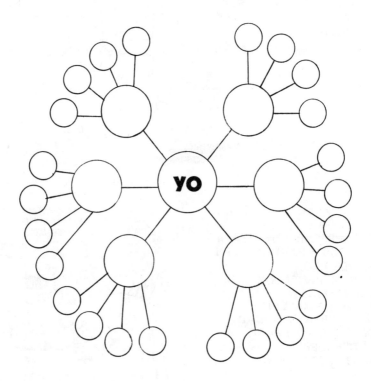

COMO LA TUYA
ES UNA **EMPRESA
EN EXPANSION,**
ALGUNOS DE ESOS
CLIENTES SE CONVIERTEN EN
NUEVOS EMPRESARIOS.

¡MIRA! ¡YO TAMBIEN
INVITE A OTROS
A LA RED!

TU RED ACTUA DEL MISMO MODO
QUE CUALQUIER EMPRESA:

SE DESPLAZAN PRODUCTOS
A TRAVES DEL CONSUMO.

SI LOS CONSUMIDORES SE ASOCIAN A SU
VEZ, E INVITAN A OTROS, LA RED SE
EXPANDE DE MANERA **GEOMETRICA**

SU POTENCIAL ES **ILIMITADO,**
PORQUE SI TU INVITAS A UN AMIGO,
Y ESTE INVITA A OTRO, Y ASI SUCESIVAMENTE,
EL ALCANCE DE LA RED, LA CANTIDAD DE PRODUCTO
QUE DESPLAZAS Y LOS INGRESOS RESIDUALES
QUE OBTIENES LLEGAN A SER...

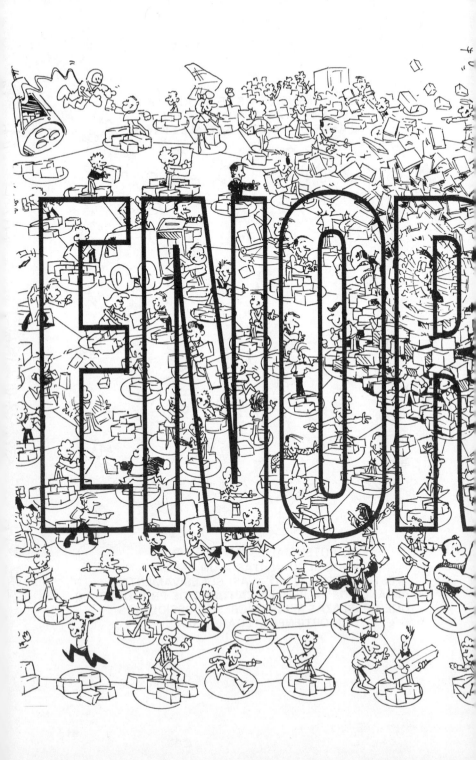

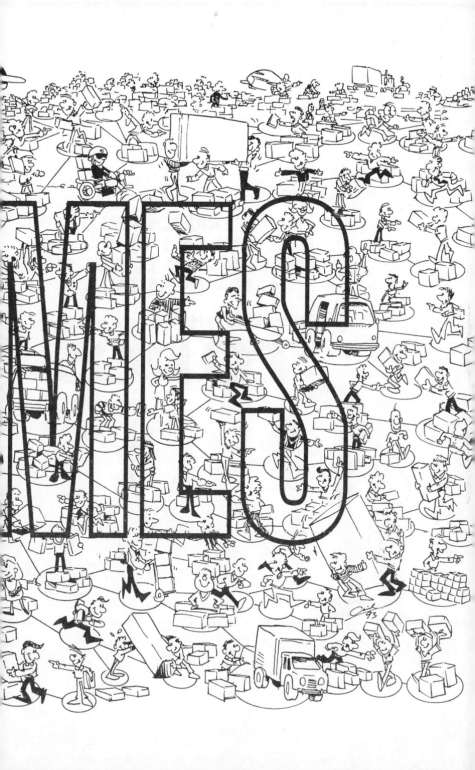

¡MOMENTO!
¡DIJISTE
QUE NO ERA
UNA PIRAMIDE!

ASI ES

PERO... SI INVITO A DOS,
Y CADA UNO INVITA A DOS...
¿NO ES ESE EL SISTEMA
DE LA PIRAMIDE?

PARA EXPLICARTELO, TE DIRE QUE EN LA PIRAMIDE GANA SOLO EL QUE SE HALLA EN LA PUNTA.

EN MULTINIVEL, GANAMOS

TODOS.

HE AQUI
LAS PRINCIPALES
DIFERENCIAS :

PIRAMIDE   MULTINIVEL

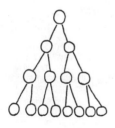

- AL INGRESAR, DEBES
  DAR UNA CANTIDAD DE
  DINERO... ¡PAGAS SOLO
  POR PERTENECER!

- GANA EL QUE ESTA
  EN LA CIMA.

- LOS DEL FONDO ESPERAN
  GANAR ALGUN DIA .

- TODOS QUIEREN "SER EL DE ARRIBA".

- LO QUE CONSUMES
  ES LO QUE PAGAS.

- TODOS GANAN DE
  ACUERDO CON SU CONSUMO.

- NO HAY UNO "ARRIBA",
  PUES AL DISTRIBUIRSE
  LAS GANANCIAS,
  CADA UNO RECIBE LO SUYO.

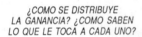

¿COMO SE DISTRIBUYE
LA GANANCIA? ¿COMO SABEN
LO QUE LE TOCA A CADA UNO?

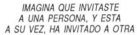

IMAGINA QUE INVITASTE
A UNA PERSONA, Y ESTA
A SU VEZ, HA INVITADO A OTRA

YO HE FORMADO
MI RED.
CONSUMO CON
DESCUENTO
Y ADEMAS
ME REEMBOLSAN
UN PORCENTAJE
POR MI CONSUMO.

YO FUI INVITADO
POR JHONNY, CONSUMO
CON DESCUENTO Y
ME REEMBOLSAN
UN PORCENTAJE
DE ESE CONSUMO.

YO ACABO DE SER
INVITADO A LA
RED. TAMBIEN
CONSUMIRE CON
DESCUENTO Y
RECIBIRE MI
RESPECTIVO REEMBOLSO.

YO

MI INVITADO

**INVITADO
DE MI INVITADO**

BUENO ESO ESTA MUY BIEN...
COMPRO CON DESCUENTO Y
ADEMAS ME REEMBOLSAN
POR ELLO... ¿Y LAS GANANCIAS,
LOS INGRESOS RESIDUALES, LA RED...
Y TODO ESO...? ¡AUN NO ENTIENDO
DONDE ESTA EL NEGOCIO!

EL NEGOCIO ES QUE

¡TU VAS A GANAR UN PORCENTAJE DEL CONSUMO DE TUS INVITADOS!

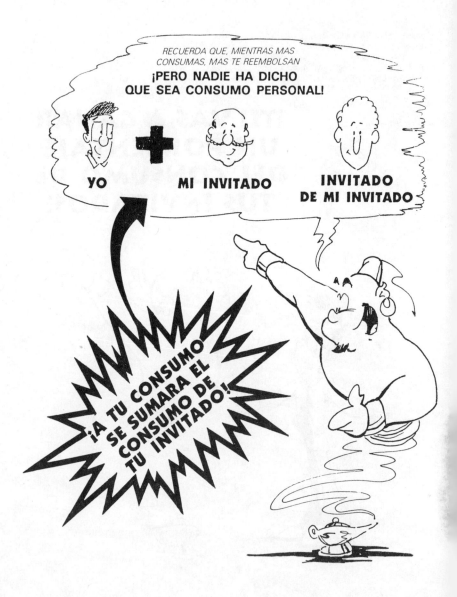

AL IGUAL QUE TU, TU INVITADO CONSUME CON DESCUENTO
Y SE LE HACE UN REEMBOLSO...

ESTO SE CONOCE COMO PAGO DE
REGALIAS EN RED
LAS LLAMAMOS **"RED"** PORQUE CADA UNO DE
USTEDES ES UN ESLABON QUE HACE MAS
GRANDE NUESTRA RED

YO OBTENGO
UN REEMBOLSO
QUE EQUIVALE
A MI CONSUMO
MAS EL CONSUMO
DE TODOS ELLOS.

YO OBTENGO
UN REEMBOLSO
QUE EQUIVALE
A MI CONSUMO
MAS EL CONSUMO
DE EL .

YO OBTENGO
UN REEMBOLSO
POR MI CONSUMO,
Y EN CUANTO INVITE
A ALGUIEN, **¡TAMBIEN
ME REEMBOLSARAN POR
EL CONSUMO DE
MI INVITADO!**

RECIBIMOS NUESTRO RESPECTIVO
REEMBOLSO POR EL CONSUMO DE
TODOS LOS QUE SE HALLAN EN
LA "RED".

AHORA, IMAGINA
QUE EN LUGAR
DE UNO, INVITASTE
A **SEIS**...

¡EL CONSUMO
DE SEIS PERSONAS
SE SUMARA AL MIO!

Y POR LOGICA,
TU REEMBOLSO
SERA MUCHO
MAYOR.

SUPON QUE TUS
AMIGOS NO SON
TAN EMPRENDEDORES
COMO TU, Y SOLO
INVITAN A **CUATRO**
PERSONAS CADA
UNO...

¡HAN INVITADO
A UN TOTAL DE
VEINTICUATRO!

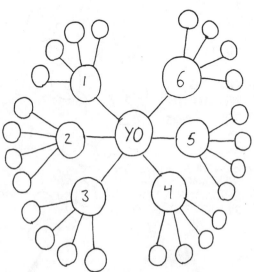

¡NO LO
CREO!

Y SUMADOS
A LOS **7** DEL
PRINCIPIO,
TOTALIZAN

31

PUES SI TE PARECE
INCREIBLE, IMAGINA
ESTO:

¡CADA UNO
DE ESOS
CUATRO HA
INVITADO
SOLO A **DOS**!

SON **48** NUEVOS
INVITADOS, QUE
SUMADOS A LOS
31 ANTERIORES DAN...

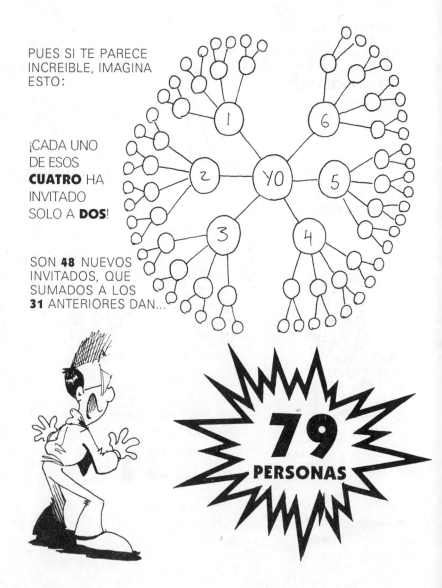

79 PERSONAS

ESTE SISTEMA ES CONOCIDO COMO
LA FORMULA

YO + 6 + (6x4) + (24x2) =
79 PERSONAS

¡NO SE TRATA DE CONVENCER!

OBSERVA COMO TU SOLO INVITASTE A 6 A CONSUMIR. LO DEMAS ES TU ENTUSIASMO QUE SE DUPLICA Y TRIPLICA EN TUS ASOCIADOS.

LOS ALCANCES SON ILIMITADOS. ANALIZA ESTA OTRA FORMULA

LA FORMULA DE LA EXCELENCIA

YO + 6 + (6x6) + (36x6)

¿QUE PASARIA SI YO INVITO A **6** EMPRENDEDORES AMIGOS, QUIENES A SU VEZ INVITAN A OTROS **6**, Y ASI SUCESIVAMENTE...?

VEAMOS...

YO INVITO A **6**

SOMOS **7** EN TOTAL

CADA UNO DE LOS **6**,
INVITA A OTROS **6**

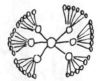

¡SON **36** NUEVOS
MIEMBROS!

SI CADA UNO DE
ELLOS INVITA **6** MAS...

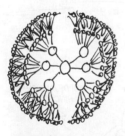

¡SON 216!

AHORA SUMAMOS:

YO
+   6 INVITADOS
+   36 INVITADOS
+ 216 INVITADOS

¡249
EN TOTAL!

EN SOLO 3 PASOS, DISPONES DE UNA RED
DE 248 PERSONAS (SIN CONTARTE A TI).

Y ESTO NO SOLO ES POSIBLE, SINO QUE MUCHAS PERSONAS HAN INTEGRADO REDES MUCHO MAS GRANDES.

POR SUPUESTO,
TODO ESTO REQUIERE
TIEMPO Y ESFUERZO PARA QUE
ALCANCES TU LIBERTAD
ECONOMICA.

¿ESO SIGNIFICA
QUE YA NO TENDRE
QUE TRABAJAR?

ESO SIGNIFICA QUE TUS
INGRESOS RESIDUALES SERAN
SUFICIENTES PARA CUBRIR TUS GASTOS,
TRABAJES O NO. POR SUPUESTO,
MIENTRAS MAS INCREMENTES TU RED,
MAYORES SERAN ESTOS INGRESOS.

CATAPLUM!

Tercera parte

De cómo puede fracasar o
triunfar el negocio y por qué
Juan decide unirse a él

115

¡NECESITAS UNA BUENA LAVADITA PARA ELIMINAR LAS IDEAS QUE HASTA HOY HAN LIMITADO TU CRECIMIENTO!

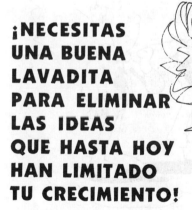

GRABATE MUY BIEN ESTO:
NADIE, ABSOLUTAMENTE NADIE, PUEDE GARANTIZARTE QUE POR EL SIMPLE HECHO DE UNIRTE AL MULTINIVEL VAS A SER MILLONARIO.

EL MULTINIVEL ES UN
NEGOCIO
Y, COMO TAL... HAY QUE TRABAJAR PARA PONERLO EN MARCHA.

RECUERDA:
NUNCA SERAS RICO
TRABAJANDO PARA OTROS.

EN UN TRABAJO TRADICIONAL, A LA LARGA GANAS LO MISMO.

EN MULTINIVEL, GANAS CADA VEZ MAS.

COMO EMPLEADO
SI NO DAS RESULTADOS
¡HASTA AQUI LLEGASTE!

EN MULTINIVEL, SI NO OBTIENES RESULTADOS,
NO RECIBES MAS DE LO QUE YA TIENES...

RECUERDA
QUE GANAS
DE ACUERDO
CON LO QUE CONSUMES,
O SEA CON "TUS RESULTADOS".

SI ERES UN EMPLEADO EXITOSO, SUBES DE RANGO Y AUMENTAN TU SUELDO, TUS RESPONSABILIDADES Y TUS PROBLEMAS.

EN MULTINIVEL, SUBES DE RANGO, OBTIENES RECONOCIMIENTO, AUMENTAS INGRESOS, PERO TUS RESPONSABILIDADES SON LAS MISMAS.

COMO VES, EL EMPLEADO
EXITOSO GANA HASTA
CIERTO LIMITE.

¿COMO QUE YA NO HAY
MAS PRESTACIONES?

CIMA
DEL EXITO

EN MULTINIVEL, LAS GANANCIAS NO TIENEN LIMITE.

EXITO CONTINUO

SIN EMBARGO, PARA QUE TODO ESTO SEA
POSIBLE, DEBES FIJARTE METAS A CORTO
PLAZO, PERO SOBRE TODO,

ALCANZABLES.

POR ELLO, SE TE ACONSEJA BUSCAR 6
INVITADOS... EN UN TIEMPO RAZONABLE.

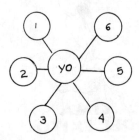

¡SERIA ABSURDO SUPONER QUE VAS A ENCONTRAR
400 DE ELLOS DE LA NOCHE A LA MAÑANA!

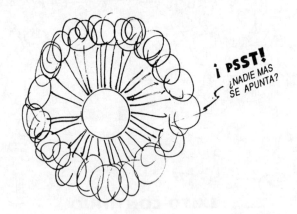

DEBES SER COOPERATIVO Y ESTAR DISPUESTO A
AYUDAR...

DESENTENDERTE DE LOS DEMAS ES LA
MANERA MAS SENCILLA DE HACER FRACASAR
TU PROPIA RED.

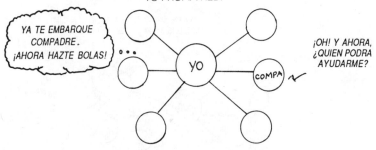

APOYAR A LOS DEMAS... ES IGUAL AL **EXITO**

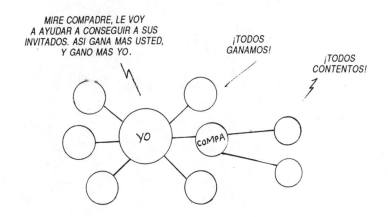

DUPLICARSE IMPLICA BUSCAR GENTE
TAN EMPRENDEDORA Y ENTUSIASTA COMO TU.
UN GRUPO QUE NO ESTA INTERESADO EN EL NEGOCIO,
¡NO OBTENDRA RESULTADOS!

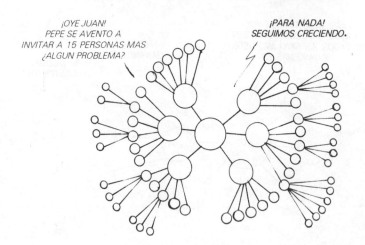

YO ME MATO TRABAJANDO...
Y AQUELLOS &$%# ¡YA SE DURMIERON!

HOY NO
¡MAÑANA SI!

...PERO SI TU GRUPO ES MUY **DINAMICO**...

¡OYE JUAN!
PEPE SE AVENTO A
INVITAR A 15 PERSONAS MAS
¿ALGUN PROBLEMA?

¡PARA NADA!
SEGUIMOS CRECIENDO.

EL MAYOR ENEMIGO
DEL MULTINIVEL
ES LA FALTA
DE CONFIANZA
EN UNO MISMO.

¿TU ME CONSIDERAS INCAPAZ?

¡CLARO QUE NO!
PERO DEBES TOMAR CONCIENCIA
DE QUE LO IMPORTANTE NO ES
LO QUE **YO** PIENSE DE TI...

**¿CUAL ES TU PROPIA
OPINION, INTIMA, PERSONAL,
HONESTA, SINCERA Y SIN MIEDO?**

SOY MENOS

¡SOY TONTO!

(SUPERADO)

(HERMANITO DEL ANTERIOR...)
TAMPOCO SABE, PERO TIENE LA MAÑA
DE HACER SOLO LO QUE CONOCE BIEN.

EN ESO NO TENGO EXPERIENCIA.

NO ME GUSTARIA QUE SE DIERAN CUENTA DE QUE SOY TONTO

ES QUE YO SE BIEN LO QUE HAGO.
(Y NO HAGO NADA MAS)

YO SOLO ME METO EN LO QUE HE ESTUDIADO.

POR ESO ESTUDIO MUCHO.

NO PUEDO DECIDIRME.

NO TENGO INTELIGENCIA.

NO SE EXPRESARME ¿Y SI ME EQUIVOCO?

¡SOY DEBIL!

SOY UN FRACASO

¡NADIE ME HACE CASO!

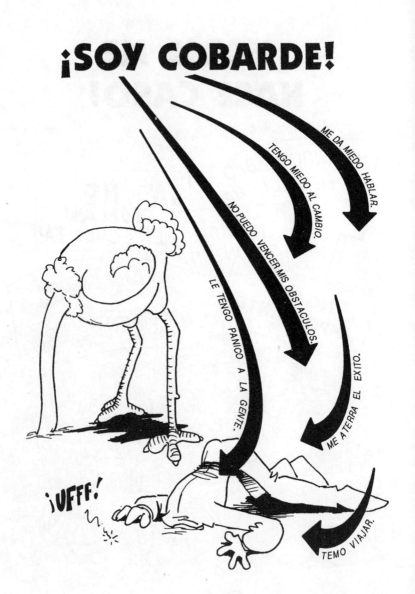

SOY FLOJO

SOY VIEJO

NO TIENE CASO.

CREEN QUE YA NO SOY CAPAZ.

A MI EDAD YA NO PUEDO

ESO ES PARA OTRO.

NO ESTOY ACTUALIZADO

NO COMPRENDEN QUE TENGO MAS EXPERIENCIA.

YA NO HAY RESPETO POR LOS VIEJOS.

ESTOY ENFERMO.

EN ORIENTE AL VIEJO LO TOMAN EN CUENTA. EN OCCIDENTE LE PASAN LA CUENTA

DEJENME DISFRUTAR LO QUE ME QUEDA DE VIDA.

SOY JOVEN

TODOS ME DICEN "CHAMACO"

¡PIENSAN QUE POR SER JOVEN SOY IGNORANTE!

NO ME RESPETAN.

LA GENTE NO CREE EN MI.

NADIE ME HACE CASO.

DICEN QUE NO SOY CONFIABLE.

SOY FEO

ME APENA MI APARIENCIA.

NADIE ME QUIERE.

ME RECHAZAN.

SI FUERA GUAPO, TODO SERIA MAS FACIL.

NO TENGO PRESENCIA.

NO ME ACEPTAN.

NO QUIEREN COMPARTIR NADA CONMIGO.

LA GENTE BONITA TIENE EXITO.

NI MIS PADRES ME QUIEREN.

ESAS SON LAS CADENAS
QUE NOS PONEMOS
CADA UNO.

¡EXACTO!
Y EL PRINCIPAL OBSTACULO ES QUE
MUCHAS PERSONAS REALMENTE CREEN
SER ASI...

CREER EN TI MISMO,
ES LA SEMILLA DEL EXITO EN TU RED...

**¡ENTIENDO!
NO BASTA DECIR YO PUEDO...**

...PORQUE CUALQUIERA LO DICE...

**LO QUE IMPORTA ES QUE
YO TENGA PLENA
CONFIANZA EN MI
MISMO, DE QUE
LOGRARE
CUALQUIER COSA
QUE ME PROPONGA.**

...EN EL TRABAJO,
LA FAMILIA,
LA ESCUELA,
EL DEPORTE...
¡EN TU VIDA MISMA!

TU, COMO TRIUNFADOR, DEFINE TUS SUEÑOS CLARA Y EXACTAMENTE, Y CUANDO LOS TENGAS BIEN DEFINIDOS, ENTONCES NO PERMITAS QUE NADIE... ABSOLUTAMENTE NADIE TE ROBE ESOS SUEÑOS.

LO QUE REALMENTE TE HACE TENER UN GENIO ES QUE APROVECHES LO MEJOR DE TI, Y LO APLIQUES PARA CONVERTIR TUS SUEÑOS EN EL MOTOR QUE TE IMPULSE CADA DIA.

¿ESTAS LISTO
PARA LUCHAR
POR HACER TUS
SUEÑOS
REALIDAD?

AHORA, HAZ
UNA LISTA DE
TUS PROSPECTOS Y...

¡VAMOS POR NUESTRO PRIMER ASOCIADO DE LA RED!

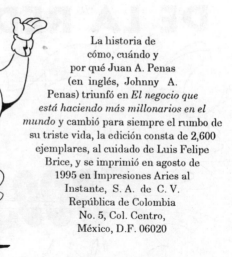

La historia de
cómo, cuándo y
por qué Juan A. Penas
(en inglés, Johnny A.
Penas) triunfó en *El negocio que
está haciendo más millonarios en el
mundo* y cambió para siempre el rumbo de
su triste vida, la edición consta de 2,600
ejemplares, al cuidado de Luis Felipe
Brice, y se imprimió en agosto de
1995 en Impresiones Aries al
Instante, S. A. de C. V.
República de Colombia
No. 5, Col. Centro,
México, D.F. 06020